To the Reader . . .

The books in this series include Hispanics from the United States, Spain, and Latin America, as well as from other countries. Just as your parents and teachers play an important role in your life today, the people in these books have been important in shaping the world in which you live today. Many of these Hispanics lived long ago and far away. They discovered new lands, built settlements, fought for freedom, made laws, wrote books, and produced great works of art. All of these contributions were a part of the development of the United States and its rich and varied cultural heritage.

These Hispanics had one thing in common. They had goals, and they did whatever was necessary to achieve those goals, often against great odds. What we see in these people are dedicated, energetic men and women who had the ability to change the world to make it a better place. They can be your role models. Enjoy these books and learn from their examples.

Frank de Varona
General Consulting Editor

General Consulting Editor
Frank de Varona
Associate Superintendent
Bureau of Education
Dade County, Florida, Public Schools

Consultant and Translator
Alma Flor Ada
Professor of Education
University of San Francisco

Editorial
Barbara J. Behm, Project Editor
Judith Smart, Editor-in-Chief

Art/Production
Suzanne Beck, Art Director
Carole Kramer, Designer
Eileen Rickey, Typesetter
Andrew Rupniewski, Production Manager

Copyright © 1993 Steck-Vaughn Company

Library of Congress number: 89-38768

Library of Congress Cataloging in Publication Data

Codye, Corrin
   Luis W. Álvarez
   (Raintree Hispanic stories)
   English and Spanish.
   Summary: Examines the life of the scientist who worked on the atomic bomb, developed a radar system, and won the 1968 Nobel Prize for physics.
   1. Álvarez, Luis W., 1911–1988. 2. Physicists—United States—Biography—Juvenile literature. [1. Álvarez, Luis W., 1911–1988. 2. Physicists. 3. Spanish-language materials—Bilingual.] I. Title. II. Series.
QC16.A48C63 1989 530'.092 [B] [92] 89-38768

ISBN 0-8114-8467-X hardcover library binding

ISBN 0-8114-6750-3 softcover binding

   4 5 6 7 8 9 0   97 96 95 94 93

LUIS W. ALVAREZ

Corinn Codye
Illustrated by Bob Masheris

RSVP
RAINTREE STECK-VAUGHN
PUBLISHERS
The Steck-Vaughn Company

Austin, Texas

Luis Walter Álvarez was born on June 13, 1911, in San Francisco, California, where his father practiced medicine. Luis was named after his grandfather, who had grown up in Spain. From his earliest years, Luis showed a great love of tools and machines.

In 1922, when Luis was eleven years old, his father showed him a magazine article about building a radio. Radio was a new invention, and most people had never listened to one. With his father's help, Luis eagerly set out to build one. When the radio was finished, Luis spent the whole next day just listening to the music that the radio played.

El 13 de junio de 1911 nació Luis Walter Álvarez en San Francisco, California, donde su padre ejercía la medicina. Le pusieron el nombre de su abuelo que se había criado en España. Desde pequeño a Luis le gustaban mucho las herramientas y las máquinas.

En 1922, cuando Luis tenía once años, su padre le enseñó un artículo de una revista sobre cómo construir un aparato de radio. En aquella época la radio era una nueva invención y la mayoría de la gente nunca la había escuchado. Entusiasmado, Luis se dispuso a construir un radio con ayuda de su padre. Cuando lo había terminado, Luis se quedó en casa todo un día, escuchando música en el radio.

Luis entered college at the University of Chicago in 1929. Although he started out studying chemistry and math, he was not a leading student in those subjects. Luis wanted to be the best in a field, so he decided to stick with the subject he loved most—physics.

Luis Álvarez was most interested in doing experiments in physics. He invented new ways to measure, observe, and test the physical laws of nature. Luis also built machines to do his experiments. One of the first machines he built was a Geiger counter, which was invented by Hans Geiger. A Geiger counter measures "cosmic rays," or radiation.

Luis entró a la Universidad de Chicago en 1929. Aunque empezó a estudiar química y matemáticas, no era un estudiante muy distinguido en esas asignaturas. Y como Luis quería ser el mejor en su campo, decidió dedicarse a la asignatura que más le gustaba: la física.

Luis Álvarez tenía sumo interés en hacer experimentos en física. Inventó nuevas formas de medir, observar y probar las leyes de la física. Luis también construyó máquinas para hacer sus experimentos. Una de las primeras máquinas que construyó fue un contador Geiger. Este aparato mide los "rayos cósmicos", o sea, la radiación del espacio, y fue inventado por Hans Geiger.

Luis once did an experiment using Geiger counters on the rooftop of a tall building in Mexico City. He wanted to find out whether cosmic rays came from the east or the west at that part of the earth. He needed to turn his Geiger counters to face different directions, so he used a wheelbarrow to turn them. He also needed to aim the Geiger counters high or low in the sky, so he mounted the counters on the lid of a hinged box. He could raise or lower the lid, and the Geiger counters would point at different parts of the sky. His experiment was successful, but only because he kept inventing ways to make it work.

Una vez, Luis hizo un experimento usando contadores Geiger en el techo de un edificio muy alto en la ciudad de México. Quería averiguar si los rayos cósmicos venían del este o del oeste en esa parte de la Tierra. Necesitaba colocar sus contadores Geiger para que dieran a distintas direcciones, así que usó una carretilla para moverlos. También necesitaba apuntarlos a distintas alturas. Así que los colocó sobre la tapa de una caja con bisagras. Al subir y bajar la tapa, los contadores Geiger apuntaban a distintas partes del cielo. Su experimento tuvo éxito, debido a que siguió inventando modos para que pudiera funcionar.

During a trip to Chicago, Luis Álvarez met Ernest Lawrence, one of the world's leading nuclear scientists. They became friends, and Lawrence invited Álvarez to work in his Radiation Laboratory at the University of California at Berkeley. The main work of the Radiation Laboratory was to study atoms using a cyclotron. This is a machine that speeds atoms in a circular, high-energy path. Álvarez's first job at the laboratory was to help run and repair the cyclotron.

Álvarez was excited by the great team spirit at the laboratory. The scientists there freely helped each other. He had never worked in such a way with other scientists. Using the cyclotron, Álvarez helped make many important new discoveries about atoms.

En un viaje a Chicago, Luis Álvarez conoció a Ernest Lawrence, uno de los científicos nucleares más importantes del mundo. Se hicieron amigos y Lawrence invitó a Álvarez a trabajar en su Laboratorio de Radiación en la Universidad de California en Berkeley. El trabajo principal del Laboratorio de Radiación era estudiar los átomos usando un ciclotrón, una máquina que hace mover los átomos en un patrón circular de alta energía. El primer trabajo de Álvarez en el laboratorio fue ayudar a manejar y reparar el ciclotrón.

Álvarez se sentía entusiasmado por el gran espíritu de equipo del laboratorio. Los científicos se ayudaban unos a otros libremente. Él nunca había trabajado en esa forma con otros científicos. Usando el ciclotrón, Álvarez ayudó a realizar muchos descubrimientos importantes sobre los átomos.

Álvarez was surprised one day when Lawrence asked him to design a magnet for a new and much larger cyclotron. Álvarez protested that he knew hardly anything about magnets. Lawrence simply said, "Don't worry, you'll learn." Learn he did. Álvarez began by questioning other scientists. He read *everything* that had been written about nuclear physics. He learned that science by living it, day and night.

Álvarez became known as a good "wild idea man." Always ready to try something new, he never stopped asking, "Why?" and "What if. . . ?" He also had good luck.

Álvarez se quedó muy sorprendido cuando un día Lawrence le pidió que diseñara un imán para un nuevo ciclotrón mucho más grande. Álvarez protestó, diciendo que no sabía nada sobre imanes. Pero Lawrence le dijo simplemente: "No te preocupes, ya aprenderás". Y él aprendió. Empezó por hablar con otros científicos. Leyó *todo* lo que se había escrito sobre la física nuclear. Y así aprendió esa ciencia al vivirla día y noche.

Álvarez pasó a ser conocido como un buen "hombre de ideas insólitas". Siempre estaba listo a probar algo nuevo. Nunca dejaba de preguntar: "¿Por qué?" o "¿Y si... ?" Además, tenía buena suerte.

In 1939, World War II broke out in Europe. In 1940, Álvarez joined a group of scientists who were designing a way to guide airplanes through fog or darkness.

Álvarez and his group built a radar system called Ground-Controlled Approach, or GCA. In this system, a radio signal bounces off a lost plane and back to the sender of the signal. Then a flight controller on the ground can guide the plane to land safely.

En 1939, empezó la Segunda Guerra Mundial en Europa. En 1940, Álvarez se unió a un grupo de científicos cuyo trabajo consistía en diseñar un medio de guiar los aviones a través de la niebla o de la oscuridad.

Álvarez y su equipo diseñaron un sistema de radar llamado Aproximación Controlada desde Tierra. Una señal de radio se lanzaba a un avión perdido y regresaba a quien la enviaba. Un controlador en tierra podía guiar el avión con seguridad para aterrizar.

15

ater during the war, Álvarez worked in Los Alamos, New Mexico, on a secret project for the government. Nuclear scientists there were searching for a way to make a powerful new weapon, the atom bomb.

It was a tricky job. The radiation given off by the atoms in such a bomb is deadly to living things. Also, an accidental explosion would cause a terrible disaster. The project to build the bomb was a top-secret race, because the first country to build an atom bomb would have the power to win the war.

ás tarde durante la guerra, Álvarez trabajó en Los Álamos, Nuevo México, en un proyecto secreto para el gobierno. Los científicos nucleares reunidos allí estaban buscando el modo de hacer una nueva arma poderosísima, la bomba atómica.

Era un trabajo difícil. La radiación que emiten los átomos de esta clase de bomba es mortal para los seres vivos. Cualquier explosión accidental causaría una catástrofe terrible. El proyecto de construir la bomba era una carrera de máximo secreto porque el país que primero hiciera una bomba atómica tendría el poder de ganar la guerra.

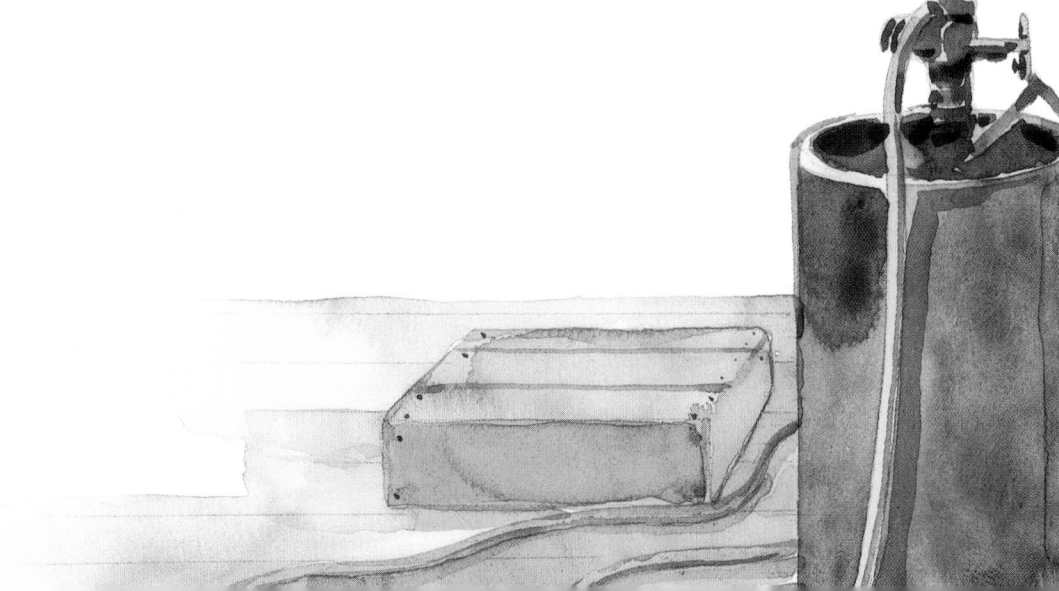

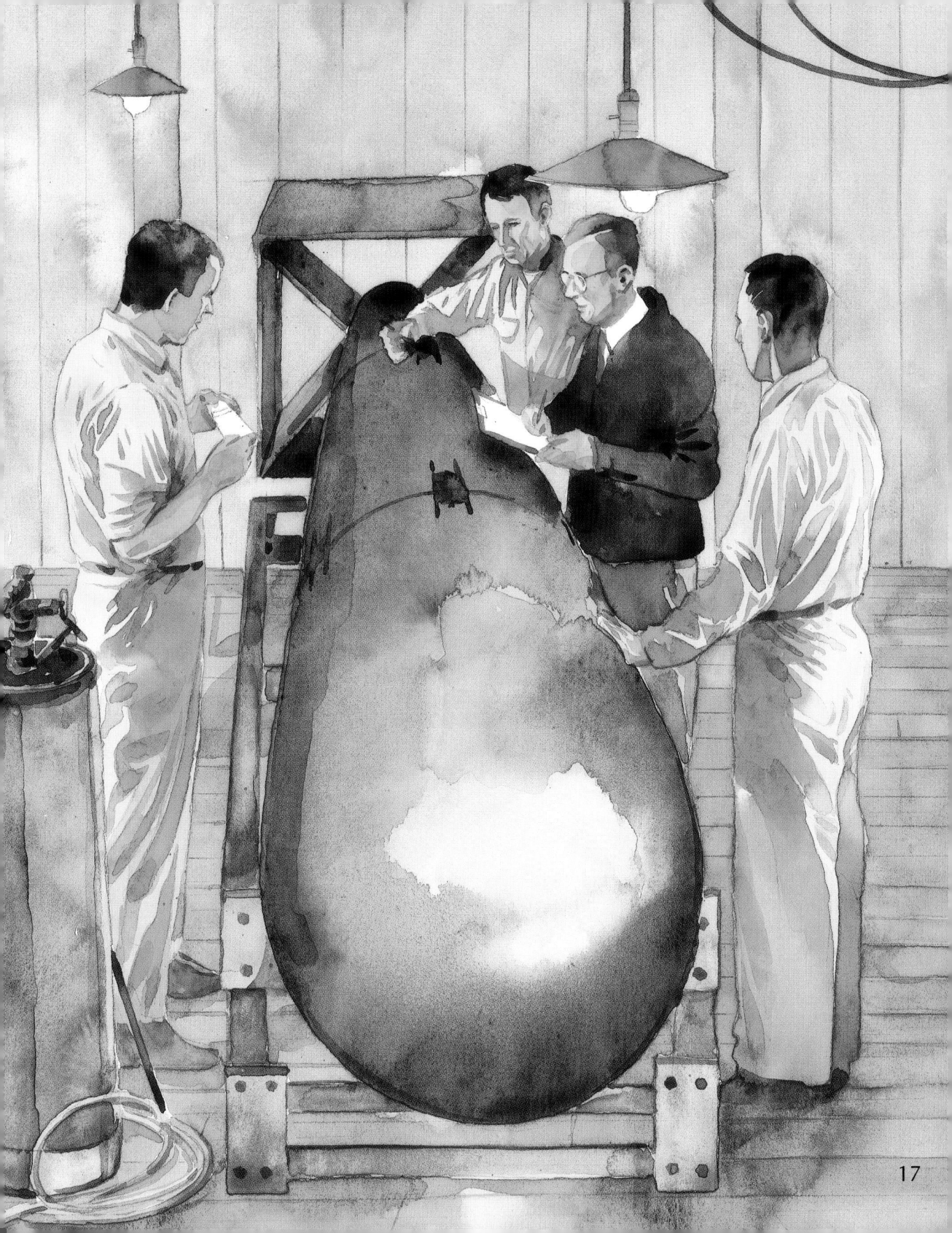

17

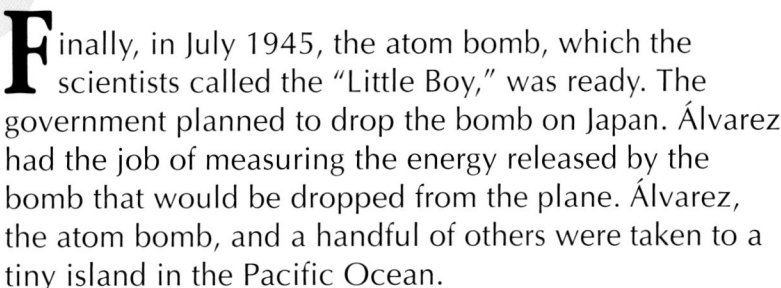

Finally, in July 1945, the atom bomb, which the scientists called the "Little Boy," was ready. The government planned to drop the bomb on Japan. Álvarez had the job of measuring the energy released by the bomb that would be dropped from the plane. Álvarez, the atom bomb, and a handful of others were taken to a tiny island in the Pacific Ocean.

Just after midnight on August 6, 1945, three planes took off toward Japan. One carried the bomb, and another carried photographers to film the blast. The third plane held Álvarez and his team with their blast-measuring instruments. They watched out of the window as the plane flew high over Japan, heading for the city of Hiroshima.

Por fin, en julio de 1945, la bomba atómica, llamada en inglés "Little Boy" (Muchachito), estuvo lista. El gobierno planeó lanzar la bomba sobre el Japón. Álvarez tenía la responsabilidad de medir la energía producida por la bomba que sería lanzada desde un avión. Álvarez, la bomba y otros cuantos hombres fueron llevados a una isla pequeñísima del Océano Pacífico.

Justamente después de la medianoche del 6 de agosto de 1945, tres aviones salieron hacia el Japón. Uno llevaba la bomba y otro llevaba los fotógrafos para filmar la explosión. En el tercer avión iban Álvarez y su equipo con los instrumentos para medir el impacto. Observaban desde las ventanillas mientras los aviones volaban muy alto sobre el Japón, dirigiéndose a la ciudad de Hiroshima.

Suddenly they heard the "ready" signal from the plane that held the atom bomb. Álvarez and his team hurried to launch their measuring equipment. The bomb fell 30,000 feet (about 9,000 meters) in 45 seconds, while Álvarez's equipment, attached to parachutes, floated gently above it. The planes made a hard turn and sped away. As Álvarez and his team flew away from the bomb, a bright flash lit the airplane. On their electronic screens, they saw the blast being recorded by their measuring instruments. The screens showed two shock waves—one from the blast itself, then a second wave after the shock hit the ground and bounced back into the air.

De repente oyeron la señal de "listo" del avión que llevaba la bomba atómica. Álvarez y su equipo se apresuraron a lanzar sus instrumentos de medición. La bomba cayó 30.000 pies (alrededor de 9.000 metros) en 45 segundos, mientras que los instrumentos de Álvarez flotaban por arriba, suavemente sostenidos por paracaídas. Los aviones se alejaron con una curva acentuada. Mientras Álvarez y su equipo se alejaban de la bomba, una luz brillante iluminó el avión. Y vieron en sus pantallas electrónicas cómo la explosión era registrada por sus instrumentos de medición. Las pantallas mostraban dos ondas de choque, una de la explosión misma y luego una segunda onda cuando la explosión chocó con la tierra y rebotó a la atmósfera.

Afew seconds later, two sharp shocks jolted their
plane, hard. A giant mushroom-shaped cloud filled
the sky, from the ground all the way to where they flew
at 30,000 feet.

They flew around the mushroom cloud once before
returning to their tiny island base. Since Álvarez could
see nothing but green forests below, he thought they had
missed the target. The pilot explained that the city had
been *entirely* destroyed.

Álvarez felt sad when he thought of all the people who
had lost their lives. He later wrote a letter to his four-
year-old son. In it he said that he hoped the powerful and
destructive atom bomb would inspire people to prevent
future wars.

Unos segundos más tarde, dos choques sacudieron
fuertemente al avión. Una nube gigantesca, en
forma de hongo, llenó el cielo, desde la tierra hasta
donde estaban volando a 30.000 pies.

Volaron alrededor de la nube en forma de hongo una
vez antes de regresar a la base en la islita. Como Álvarez
no podía ver abajo nada más que bosques verdes, al
principio creyó que no habían dado en el blanco. El
piloto entonces le explicó que la ciudad había sido
destruida *por completo.*

Álvarez pensó con tristeza en todas las personas que
habían perdido la vida. Luego le escribió una carta a su
hijo, que tenía cuatro años. En ésta le decía que
esperaba que esta bomba poderosa y destructiva
inspirara a los seres humanos a evitar guerras futuras.

After the war, Álvarez worked again at the Radiation Laboratory at Berkeley. There he built a device called a hydrogen bubble chamber. With this device, Álvarez discovered that atoms and other particles, when traveling through liquid hydrogen, leave a track of bubbles. The larger the chamber, the easier it is to see particle tracks. Using bubble chambers, Álvarez's team discovered many new atomic particles.

In 1968, Luis Álvarez received the Nobel Prize, which recognizes the highest achievements in the world. The Nobel description of his important work and discoveries in physics was, at that time, the longest in the prize's history.

Después que terminó la guerra, Álvarez trabajó de nuevo en el Laboratorio de Radiación de Berkeley. Construyó una cámara de iones de hidrógeno. Con este aparato, Álvarez descubrió que los átomos y las partículas, cuando viajan a través del hidrógeno líquido, dejan un rastro de burbujas. Mientras más grande es la cámara, más fácil es ver el rastro de las partículas. Usando esta cámara de iones, el equipo de Álvarez descubrió muchas nuevas partículas atómicas.

En 1968, Luis Álvarez recibió el Premio Nobel, que premia los logros de máxima excelencia en el mundo. La lista de sus trabajos y descubrimientos importantes en la física fue la más larga hasta entonces en toda la historia de ese premio.

Although his work with physics was very important, Luis Álvarez may be best remembered for his work and "wild ideas" in a field that he knew nothing about until age sixty-six. After retiring from the University of California, he began working with his son, Walter, who is a geologist. One day Walter gave his father a piece of layered rock from the mountains of Italy. The rock contained a mystery about the history of the earth.

The rock showed a clay layer that had formed 65 million years ago, the same time that the dinosaurs disappeared from the earth. The layer below the clay was filled with fossil shells. The layer above the clay also had shells, but they were almost entirely different. This showed that most of the animals living before the clay layer was formed had become extinct, or died out.

Aunque su trabajo en física fue muy importante, quizá Luis Álvarez sea recordado mejor algún día por su trabajo y sus "ideas insólitas" en un campo del cual no sabía nada hasta la edad de sesenta y seis años. Después de jubilarse de la Universidad de California, empezó a trabajar con su hijo, Walter, que era geólogo. Un día Walter le dio a su padre un trozo de roca de las montañas de Italia. La roca contenía un misterio sobre la historia de la Tierra.

La roca mostraba una capa de arcilla que se formó hace 65 millones de años, al mismo tiempo que los dinosaurios desaparecieron de la Tierra. La capa debajo de la arcilla también tenía conchas fósiles, pero casi todas eran diferentes. Esto mostraba que la mayoría de los animales que vivieron antes de que la arcilla se formara, se habían extinguido, o se habían muerto.

The two Álvarezes, father and son, studied the clay layer. They discovered large amounts of iridium, an element that comes mainly from outer space. They suggested that a body from outer space, 5 miles (about 8 kilometers) across, had hit the earth. Its crash set off a tremendous explosion, worse than all the atom bombs in the world put together. They suggested that the dust and smoke from the explosion covered the earth with a thick black cloud that blocked the sun. The dust settled after a few months, forming a 1/2-inch (about 1 1/4-centimeter) clay layer all the way around the earth. The Álvarezes suggested that without sunlight, most green plants died, and the animals—including the dinosaurs—starved and froze.

Los Álvarez, padre e hijo, estudiaron la capa de arcilla. Descubrieron grandes cantidades de iridio, un elemento que proviene usualmente del espacio. Sugirieron que un cuerpo espacial de unas 5 millas (alrededor de 8 kilómetros) de diámetro, chocó contra la Tierra. Al chocar causó una explosión peor que la de todas las bombas atómicas del mundo juntas. Sugirieron que el polvo y el humo causados por la explosión al cubrir la Tierra bloquearon al Sol. El polvo se asentó después de unos meses, cubriendo toda la Tierra con una capa de arcilla de 1/2 pulgada (alrededor de 1 1/4 centímetro). Los Álvarez sugirieron que, sin la luz solar, la mayoría de las plantas murieron y que los animales—incluyendo los dinosaurios—se murieron de hambre y de frío.

The Álvarez team tested their ideas carefully. For example, did the iridium come from erupting volcanoes instead of from space? They proved that the large amount of iridium in the clay layer could only have come from space.

Luis Walter Álvarez, one of the world's greatest nuclear scientists, died on August 31, 1988. Only a few months earlier, a newly discovered asteroid was named *Álvarez* in honor of his and Walter's work.

El equipo de los Álvarez estudió sus ideas cuidadosamente. Por ejemplo, ¿provino el iridio de volcanes en erupción en lugar del espacio? Comprobaron que las grandes cantidades de iridio en la capa de arcilla sólo habrían podido provenir del espacio.

Luis Walter Álvarez, uno de los científicos nucleares más importantes del mundo, murió el 31 de agosto de 1988. Pocos meses antes de su muerte, un asteroide recién descubierto fue llamado "Álvarez" en honor de su trabajo y el de su hijo.

GLOSSARY

asteroid One of thousands of small planets between Mars and Jupiter.

atom A small piece of matter. Atoms make up everything on earth, including air.

cyclotron A machine used for studying atoms moving at high speeds.

fossil An imprint of an animal or plant preserved in the earth's crust.

geologist A person who studies the earth and how it was formed.

nuclear Having to do with the nucleus (center) of the atom.

physics The study of matter and energy and how they act on one another.

radar A system that uses radio waves to locate objects.

radiation Energy given off by some atoms.

GLOSARIO

asteroide Uno de miles de pequeños planetas entre Marte y Júpiter.

átomo Una pequeña partícula de materia. Todo en la Tierra, incluso el aire, está formado por átomos.

ciclotrón Un aparato que se usa para estudiar los átomos que se mueven a alta velocidad.

fósil Huella de un animal o planta preservada en la corteza de la Tierra.

geólogo Persona que estudia la Tierra y su formación.

nuclear Relativo al núcleo (centro) del átomo.

física Estudio de la materia y la energía y su interrelación.

radar Sistema de ondas de radio para localizar objetos.

radiación Energía emitida por algunos átomos.